G000124166

La tour Eiffel
a des ailes !

© Éditions Nathan (Paris, France), 2009
Loi n°49956 du 16 juillet 1949 sur les publications destinées à la jeunesse
ISBN 978-2-09-252240-0
N° d'éditeur : 10161946 - Dépôt légal : juin 2009
Imprimé en France par Pollina - n° L50760

La tour Eiffel a des ailes !

Texte de Mymi Doinet

Illustré par Aurélien Débat

Aujourd'hui, comme chaque jour,
la tour Eiffel a reçu la visite de touristes
venus des quatre coins du monde.

À son tour, la belle rêve de vacances :

Du haut de ses 324 mètres,
la tour Eiffel attend que Paris s'endorme.
Puis la géante remonte à grands pas
l'avenue des Champs-Élysées,
et elle invite l'Arc de triomphe :

Non, non, non !
Demain c'est le 14 juillet,
je dois me reposer
avant le défilé.
L'Arc de triomphe bougonne.

Puisque c'est ainsi,
la tour Eiffel file seule
sur les boulevards.

Et hop !

Elle sort de Paris, en sautant par-dessus la Grande Arche de la Défense.

La voici maintenant dans les prairies de Normandie !

Face à ses quatre pieds grands
comme un squelette de diplodocus,
les vaches meuglent :
Sauvons-nous d'ici,
ce dinosaure va manger
nos pissenlits !
Taratata ! La tour Eiffel a mieux à faire
que de croquer de la salade amère.

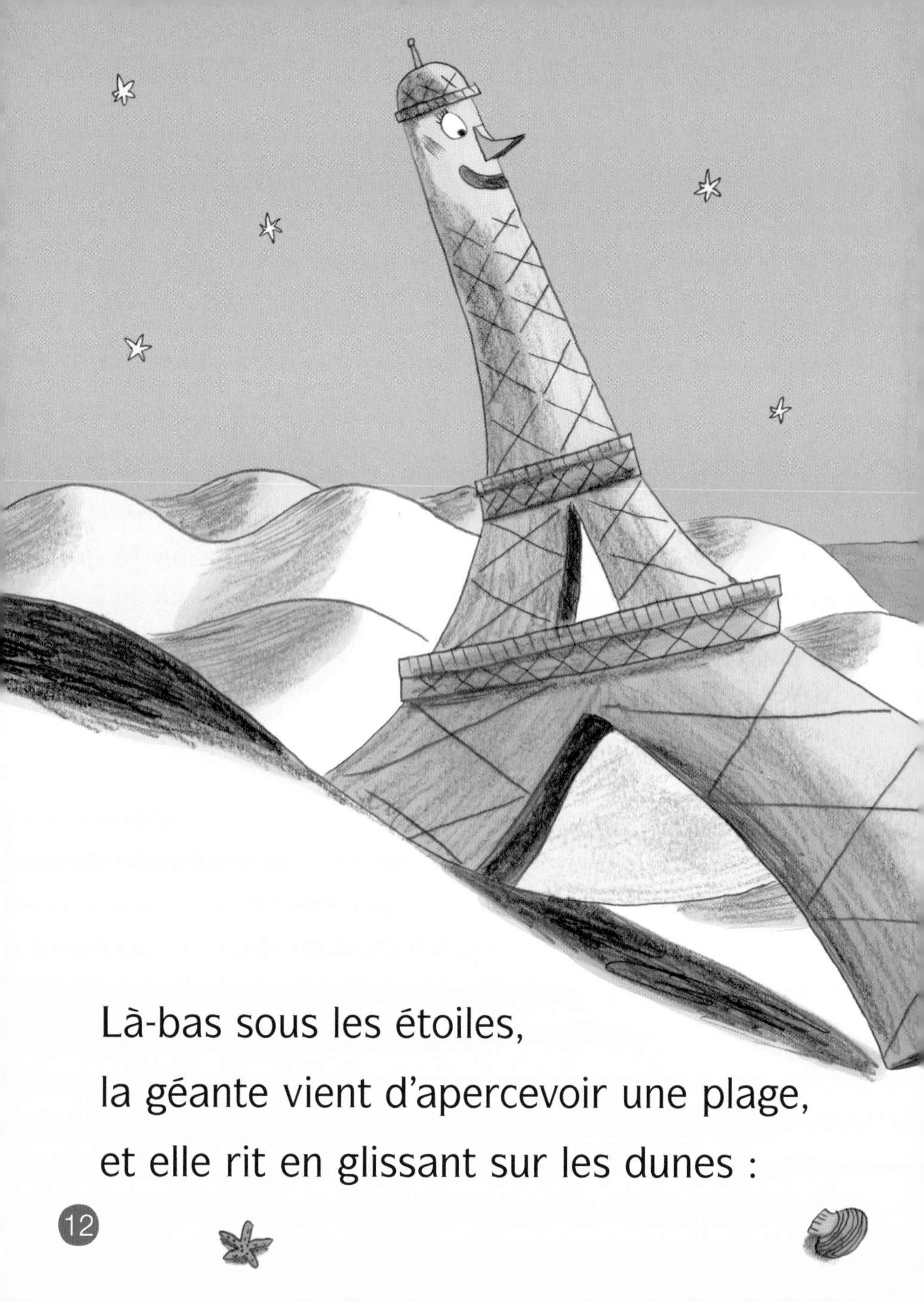

Là-bas sous les étoiles,
la géante vient d'apercevoir une plage,
et elle rit en glissant sur les dunes :

Je vais prendre mon premier bain de mer !

La tour Eiffel fait trempette.
Mais difficile de flotter
avec un corps d'acier qui pèse le poids
de 1500 éléphants !

Dans l'eau, les phoques de la baie encerclent la nageuse débutante, et ils la rassurent :

Soudain, une terrible tempête
se prépare. Perdus dans la nuit,
les pêcheurs crient à bord
de leurs bateaux :

Au secours,
nous allons nous fracasser
contre le Mont-Saint-Michel !

Aussitôt, la tour Eiffel se redresse.
Haute comme 64 girafes,
elle fait clignoter sa tête.

Nous sommes sauvés, un nouveau phare éclaire la mer !

La tour Eiffel continue d'illuminer les flots jusqu'au lever du soleil. Puis, fatiguée d'avoir veillé toute la nuit, elle bâille en s'allongeant au bord de la Seine, juste là où le fleuve se jette dans la mer :

Je vais faire
un petit dodo !

Quel sommeil !
La tour Eiffel dort si profondément
qu'elle ne voit pas passer
les coureurs du Tour de France.

En tête de la course, le maillot jaune sifflote :

Quand la tour Eiffel se réveille,
il fait grand jour. Vite, vite !
Il faut qu'elle soit de retour à Paris,
fidèle au poste dès 9 heures
pour compter ses admirateurs !
Alors, zou ! La géante décolle du sol.
En la voyant traverser les nuages,
les pigeons croient rêver :

La tour Eiffel
a des ailes !

Pendant ce temps-là, personne
ne s'est rendu compte de son absence,
car un épais nuage de brouillard
recouvre tout Paris.

Du coup, quand la belle atterrit,
les touristes s'écrient en levant la tête :

C'est fou, on dirait
que la tour Eiffel a bougé !

Le soir venu, BANG !
La journée se termine en fanfare
avec le grand feu d'artifice
du 14 juillet.
Puis tout redevient calme,
et la tour Eiffel se dit :

Cette nuit,
cap sur le mont Blanc,
j'ai envie de faire du ski !

Le texte à lire dans les bulles est conçu
pour l'apprenti lecteur.
Il respecte les apprentissages du programme de CP :
le niveau TRÈS FACILE correspond
aux acquis de septembre à décembre,
et le niveau FACILE à ceux de janvier à juin.

Cette histoire a été testée à deux voix
par Francine Euli, institutrice, et des enfants de CP.

Découvre d'autres histoires dans la collection

nathanpoche premières lectures

LECTURE FACILE

T'es trop moche, Jim Caboche !

de Guy Jimenes, illustré par Benjamin Chaud

Arno a très envie de **jouer** au pirate avec son **papa**. Mais celui-ci est trop occupé à réparer la voiture. Pauvre Arno ! Comment faire pour obliger son père à se battre comme tout **pirate** qui se respecte ? Il n'y a plus qu'une solution : le provoquer en duel !

Que la vie est belle !

de René Gouichoux, illustré par Mylène Rigaudie

Kouma la girafe se trouve trop **grande**. Son ami, Toriki le lièvre, lui, se trouve trop **petit**. Ils décident tous deux d'aller voir Marabout, l'oiseau sorcier qui réalise les **souhaits**. Mais attention, la savane peut réserver des surprises… de **taille** !

Bas les pattes, pirate !

de Mymi Doinet, illustré par Mathieu Sapin

La princesse Zoé passe ses **vacances** sur le bateau de son père, le roi Igor. Elle commence tout juste à **s'amuser** avec le matelot Léo, lorsqu'une menace s'abat sur le navire : des **pirates** !

J'aime pas les côtelettes !

de Mymi Doinet, illustré par Fabrice Turrier

Monsieur et madame Croktoucru sont fiers de leur bébé **ogre** ! Mais très vite, c'est la catastrophe pour les parents croqueurs de **chair fraîche** : Oscar n'aime ni la bouillie de viande hachée, ni les côtelettes ; il préfère la compote et les carottes ! Quelle est donc cette **terrible maladie** ?

Sauve qui pou !

de Mymi Doinet, illustré par Gaëtan Dorémus

Pablito, le petit **pou**, est ravi : il a trouvé une **tête** où faire son nid ! Il glisse sur les nattes de Sara comme sur des toboggans. Mais la fillette n'est pas d'accord. Elle en a assez de se **grat-touiller** la tête. Gare à toi petit pou, la chasse est ouverte !

Il était une fois... un loup vert

de Laurence Gillot, illustré par Aurélie Guillerey

Selon Arthur, l'**histoire** du loup vert que sa petite sœur Nina lui **raconte**, est ennuyeuse. Son **loup** n'est même pas féroce ! Mais malgré ces reproches incessants, Nina poursuit son histoire...